Dyma Jac a dyma Jes y ci.

Mae Jac a Jes yn ffrindiau
mawr.

Maen nhw'n hoffi mynd am dro
gyda'i gilydd i chwilio am antur
newydd.

Un diwrnod roedd eira mawr!

Roedd popeth tu allan yn wyn.

Cododd Jac a Jes yn gynnar i chwarae yn yr eira.

Gwisgodd Jac yn gynnes mewn cot, het, sgarff a menig.

Gwisgodd Jes sgarff gynnes hefyd!

Aeth Jac a Jes allan i chwarae.

Rholiodd y ddau bêl fawr o eira.

Rholiodd y ddau bêl fach o eira.

Rhoddodd Jac y bêl fach ar ben y bêl fawr i wneud dyn eira!

Aeth Jac i nôl moron o'r gegin.

Aeth Jes i nôl glo o'r lolfa.

Rhoddodd Jac un o'r moron ar
y bêl fach i wneud trwyn i'r dyn
eira. Rhoddodd y glo ar y dyn eira i
wneud ceg a llygaid.

Wedyn rhoddodd ei het, ei got
a'i sgarff ar y dyn eira.

Yn sydyn, cododd Jes ei chlustiau a rhedeg i gefn y tŷ.

"Jes, ble wyt ti?" galwodd Jac.

"Wff! Wff!" atebodd Jes o tu ôl i'r sièd.

Aeth Jac tu ôl i'r sièd. Roedd Jes yn edrych ar y robin goch.

Roedd y robin goch yn edrych yn drist.

"O diar,'" meddai Jac. "Beth sy'n bod, robin bach?"

Wedyn, galwodd Siôn dros y ffens drws nesaf.

"Helô, Jac a Jes. Ga i ddod i chwarae gyda chi?"

"Cei siŵr. Dere i weld y robin goch yma," atebodd Jac.

Dringodd Siôn dros y ffens.

"O druan â'r robin goch! Mae'n edrych yn drist," meddai Siôn.

"Ydy. Beth sy'n bod arno fe?" atebodd Jac.

"Oes angen bwyd arno fe?" gofynnodd Siôn.

"Nac oes, mae Mam yn rhoi bwyd i'r adar bob dydd," atebodd Jac.

Aeth Jac, Jes a Siôn draw at y bwrdd adar.

"O na," meddai Jac. "Mae eira dros y bwrdd adar!"

"Dyna pam mae'r robin goch yn edrych yn drist," meddai Siôn.

"Druan ag e!" cytunodd Jac.

"Mae'n rhaid i ni helpu'r robin bach," meddai Jac.

"Oes, dere i ni glirio'r eira o'r bwrdd," atebodd Siôn.

"Syniad da, a rhoi cnau iddo fe a'i ffrindiau," meddai Jac.

Aeth Siôn i nôl brwsh o'r sièd.

Aeth Jac a Jes i nôl cnau o'r gegin.

Roedd pawb eisiau helpu!

Brwsiodd Siôn yr eira o'r bwrdd adar.

Cariodd Jes y bag cnau yn ei cheg.

Rhoddodd Jac y cnau ar y bwrdd.

Hedfanodd y robin goch i'r bwrdd adar.

Roedd yn hapus iawn i gael bwyd ffres!

Roedd y bechgyn a Jes wedi bod yn garedig iawn i'r aderyn bach.

"Beth am fynd i mewn i gael siocled poeth?" gofynnodd Jac.

"Syniad gwych," atebodd Siôn.

"Wff!" cytunodd Jes.

Aeth y tri i mewn i'r tŷ i gynhesu.

Am ddiwrnod cyffrous!